Guía de
Un paseo por Ecuador

Alicia Crespo

Guía de
Un paseo por Ecuador

Autora:
Alicia Crespo

Coordinación editorial y redacción:
Roberto Castón

Corrección:
Nuria París y Eduard Sancho

Revisión pedagógica:
Jaime Corpas

Diseño y maquetación:
Cecilia Martín y Lula Alegre

Ilustración:
Pere Virgili

Agradecimientos:
Ministerio de Turismo de la República de Ecuador
Embajada del Ecuador en España
Consulado del Ecuador en Barcelona
Klein Tours

© Difusión, S.L., Barcelona, 2001
ISBN: 84-8443-056-1
Depósito legal: B-19572-2001

Impreso en España por TORRES & ASSOCIATS, Serveis de Grafisme, S.L.
Este libro está impreso en papel ecológico.

DIFUSIÓN

Centro de Investigación y Publicaciones de Idiomas, S.L.
C/ Trafalgar, 10 entlo.1ª 08010 Barcelona Tel. 93 268 03 00 Fax 93 310 33 40
E-mail: editdif@intercom.es
http://www.difusion.com

ÍNDICE

Introducción   4

Repertorio de actividades   5-6

De viaje   Cosas de interés   8-9
por Ecuador   Ejercicios   10-12   🕐 5' 55''

Regiones   Cosas de interés   13-14
naturales   Ejercicios   15-17   🕐 5' 25''

Guayas   Cosas de interés   18-19
                     Ejercicios   20-22   🕐 5'

Esmeraldas   Cosas de interés   23-24
                     Ejercicios   25-27   🕐 4' 25''

El Oro   Cosas de interés   28-29
                     Ejercicios   30-32   🕐 5' 10''

Palabras   33

Transcripciones   34-37

Soluciones   38-40

COLECCIÓN *PASEOS*

LOS VÍDEOS
Los vídeos de esta colección se han elaborado a partir de imágenes cedidas por los Departamentos de Turismo de los diferentes países tratados. *Paseos* es un material diseñado para trabajar aspectos culturales como la historia, la geografía, el arte, la gastronomía, las fiestas... y pretende mostrar la diversidad cultural hispana. Se trata de un complemento pedagógico especialmente motivador, por la calidad de sus imágenes y es, por tanto, muy recomendable para cursos específicos de cultura y civilización hispana.

LAS GUÍAS
Las guías que acompañan a los vídeos están diseñadas para facilitar la comprensión y explotación de los reportajes de cada uno de los países. Su estructura es la siguiente:

REPERTORIO DE ACTIVIDADES
En este apartado se incluyen una serie de propuestas de actividades que sirven para explotar cualquiera de los reportajes y que pueden ser una alternativa o un complemento a los ejercicios específicos que se proponen para cada reportaje. Algunas actividades se pueden realizar antes del visionado, otras durante, y otras, después.

COSAS DE INTERÉS
Dos páginas de información que aclaran y complementan las imágenes de cada uno de los capítulos de los vídeos. Es una base de consulta tanto para el profesor como para el alumno.

EJERCICIOS
Tres propuestas de ejercicios para cada capítulo: básico (●○○), intermedio (●●○) y avanzado (●●●). En muchos casos, especialmente con alumnos de nivel intermedio o avanzado, se puede trabajar más de una actividad.

PALABRAS
Un breve glosario con palabras estrechamente relacionadas con el país, que, además, facilita la comprensión del reportaje.

TRANSCRIPCIONES
En las guías se incluyen las transcripciones de los textos que acompañan a las imágenes.

SOLUCIONES
Al final del libro se encuentran las soluciones para el profesor o para aquellos estudiantes que quieran autocorregirse.

LOS MAPAS
Cada vídeo de Hispanoamérica va acompañado de un mapa ilustrado con más de 30 dibujos, que puede ser de gran utilidad en el aula. Se adjunta en el propio mapa una ficha técnica con información sobre el país.

REPERTORIO DE ACTIVIDADES

Estas actividades se pueden realizar con cualquier reportaje y constituyen una alternativa o un complemento a los ejercicios específicos que se proponen para cada capítulo.

INTERPRETAR EL MAPA

Antes de ver el reportaje, los alumnos intentan interpretar los dibujos que aparecen en el mapa. Con la ayuda del apartado COSAS DE INTERÉS, podemos aclarar las dudas que surjan.

¿QUÉ SABÉIS DE...?

Antes de ver el vídeo, el profesor elicita información sobre el tema del reportaje. Los alumnos forman parejas e intentan confeccionar la lista más larga.

PREGUNTAS

Antes de ver el reportaje, los alumnos preparan preguntas sobre cosas que quieren saber sobre el tema del reportaje. A continuación, intentan encontrar las respuestas viendo el vídeo.

ESCRIBIR UN GUIÓN

Los alumnos escriben un guión que acompañará las imágenes del vídeo. Antes, les entregamos la información que se incluye en el apartado COSAS DE INTERÉS y les pasamos el reportaje sin sonido.

LA TRANSCRIPCIÓN

Entregamos a los alumnos la transcripción incompleta, en función del nivel de los alumnos y del grado de dificultad de los textos. Tienen que completarla tras uno o varios visionados.

VERDADERO O FALSO

Les entregamos una serie de frases con información sobre el reportaje. Algunas no son ciertas. Mientras ven el vídeo, detectan cuáles son verdaderas y cuáles, falsas.

IGUAL Y DIFERENTE

Tras visionar el reportaje, los alumnos comentan las similitudes y las diferencias entre lo que han visto y la región donde viven habitualmente o donde estudian español en este momento.

FOTOS

Repartimos a los alumnos fotos de diferentes países entre las que solo hay una o dos que corresponden al país que se va a visionar. Mientras ven el vídeo, el alumno que tiene la foto de dicho país debe identificarlo.

PRESENTAR EL PAÍS

En grupos o individualmente los alumnos se responsabilizan de recabar información sobre una región del país. Después la presentarán a sus compañeros.

POSTALES

Tras ver el reportaje, los alumnos tienen que escribir una postal a un amigo, imaginando que están pasando unos días en ese país.

EL CONCURSO   *De viaje por Ecuador.*

Durante el visionado, cada alumno toma notas de lo que va viendo. Después, en grupos, elaboran preguntas (de 3 a 5) sobre el contenido del vídeo (imagen y audio). El profesor controlará que las preguntas no coincidan. Después, cada grupo, por turnos, formula las preguntas al equipo contrario. Reciben un punto positivo por cada acierto y uno negativo por cada error.

LA CUÑA

Se trata de elaborar una cuña publicitaria para promocionar la región o el tema del reportaje. Primero la escriben y luego la graban. Por último, se escuchan todas las grabaciones.

UN DÍA EN...   *Esmeralda*

Después de ver un reportaje que se centre en una ciudad o región, el alumno decidirá qué haría y en qué orden si solo dispusiera de un día para visitarla. A continuación, tiene que buscar al compañero ideal de viaje; es decir, descubrir aquél con el que más haya coincidido.

EL REPORTAJE

En grupos buscan fotos e información complementaria (Internet, guías de turismo...) para la redacción de un reportaje en una revista de viajes. Si se hace con todos los documentales, al final tendrán una revista confeccionada por ellos.

LAS PALABRAS DEL PAÍS

Después del visionado del reportaje, los alumnos escriben palabras que puedan resumir una serie de aspectos de la comunidad. A continuación, se ponen en común con el resto de la clase para ver en qué han coincidido.

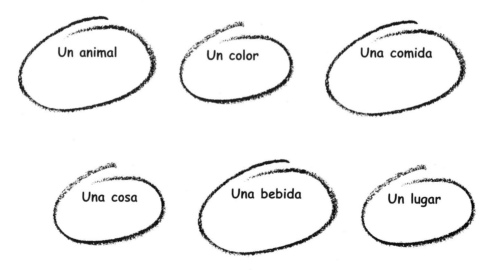

Un animal   Un color   Una comida

Una cosa   Una bebida   Un lugar

Un paseo por
Ecuador

De viaje por Ecuador

COSAS DE INTERÉS

Quito

Capital de Ecuador. Está situada a una altura de 2816 metros sobre el nivel del mar. Llegó a ser la ciudad más importante durante el reino de los Incas y fue fundada nuevamente por los españoles en 1534. En Quito se ha llevado a cabo un notable desarrollo urbano, por lo que actualmente en la ciudad se observan grandes contrastes entre edificios modernos y antiguos, entre los que destaca la arquitectura barroca, tan característica de esta ciudad.

Los Andes

Cruzan Ecuador de Norte a Sur y dividen al país en tres partes: la anteandina o la Costa, situada entre el mar y la cordillera; la interandina o la Sierra, que es la propia cordillera; y la transandina u Oriente, donde se encuentra la selva amazónica ecuatoriana.

Arquitectura

Con la llegada de las distintas órdenes religiosas en el momento de la conquista española empezó una "competición" de construcción de iglesias, conventos y plazas. Estas construcciones se llevaron a cabo durante los siglos XVI, XVII y XVIII. Así, junto a la primera arquitectura religiosa encontramos muestras de barroco, rococó y neoclásico, que llegaron de Europa pero fueron reinterpretados.

Los volcanes

En el norte de los Andes hay diez volcanes que superan los 5000 metros de altitud. El de máxima altura es el Chimborazo (6310 metros), que es a su vez el pico más alto de Ecuador, y el Cotopaxi (5900 metros), el volcán activo más alto del planeta.

Cuenca

Es la tercera ciudad de Ecuador, por su número de habitantes. Es considerada la ciudad más bella de Ecuador. Está situada a 2549 metros de altitud en la ribera del río Tomebamba. Destaca su arquitectura colonial bien conservada. Las cúpulas azules de la Catedral Nueva son la imagen clásica de esta ciudad. Ha sido declarada Patrimonio Cultural de la Humanidad por la Unesco.

Guayaquil

Es la ciudad con más habitantes del país (1,7 millones) y, a pesar de no ser la capital es la más importante en cuanto a industria y comercio y la que posee el principal puerto comercial de Ecuador.

Amazonía

La región amazónica de Ecuador se llama Oriente y está atravesada por el Napo, el afluente más largo del río Amazonas. Hoy en día, y a pesar de la densa vegetación y el terreno accidentado, cuenta con una red de carreteras construidas a principios de los 70 para la industria petrolera. Sin embargo, ni la industria ni el turismo han perjudicado la selva, que ofrece un paisaje extraordinario.

Las Galápagos El archipiélago de Galápagos está compuesto por 17 islas y más de 100 islotes. Son famosas por su fauna, como las galápagos, tortugas con el cuello largo que viven más de 100 años, y sus 80 especies de aves. Darwin se inspiró en su fauna para escribir *El origen de las especies*.

La mitad del mundo A 22 Kilómetros de Quito se encuentra el monumento a la mitad del mundo para marcar la latitud 0°. Durante los equinocios, el 21 de marzo y el 21 de septiembre, este lugar atrae a los visitantes que quieren comprobar que el sol no proyecta ninguna sombra.

Lago San Pablo Es una laguna de aguas heladas y cristalinas que se encuentra cerca de Otavalo. Se pueden dar paseos en barca y a caballo, así como practicar deportes acuáticos. Cada septiembre se celebra una carrera a nado.

Quilotoa Es el nombre del lago que se encuentra en un cráter volcánico de color azul celeste, todavía activo.

El tren El viaje en el tren de vapor que une Quito con Guayaquil fue catalogado desde sus inicios como uno de los grandes viajes en tren del mundo. El tramo denominado Nariz del Diablo es uno de los más espectaculares del mundo. El tren de vapor inicia un rápido descenso y atraviesa puentes estrechísimos y profundas gargantas. Esta experiencia se puede llevar a cabo en el techo del tren, desde donde se aprecian las mejores vistas y se evita el calor del vagón.

Ingapirca Es el yacimiento prehispánico mejor conservado del país. Construido por el inca Huayna Cápac en el siglo XV, no solo servía como fortaleza, sino también como templo, almacén y observatorio. Su nombre significa "muro de piedra inca".

Otavalo Localidad de gran interés turístico por su mercado de artesanía, en la plaza del Poncho. Los artículos más comunes son: trajes típicos, adornos y complementos de los indígenas de diferentes partes del país, así como tapices, mantas y jerseys de lana. Sus habitantes proceden del grupo de los caras o caranquies, gobernados por la dinastía Shyri. Se asentaron en la región durante el siglo X y su economía se basaba ya entonces en el hilado y el tejido de la lana y su comercio. Pero fue a principios de la colonización española, en 1550, cuando se crearon talleres textiles con mano de obra reclutada a la fuerza.

Baños Esta población de 15 000 habitantes es famosa por las aguas termales que emanan del volcán Tungurahua.

LO MÁS CONOCIDO

A. Éstos son los lugares mas conocidos de Ecuador: Quito, Galápagos, Cuenca y Guayaquil, ¿Sabes algo de alguno de ellos? Coméntalo con tu compañero. Después, mientras ves el vídeo, intenta situarlos en el mapa.

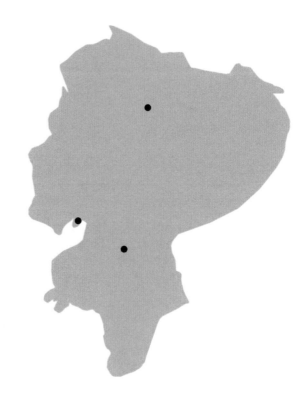

- **Quito**
- **Galápagos**
- **Cuenca**
- **Guayaquil**

B. Vuelve a ver el vídeo y relaciona esos lugares con su definición.

CUENCA

Patrimonio Cultural de la Humanidad

El único lugar en la mitad del mundo con pingüinos y focas

Capital de Ecuador

GUAYAQUIL

QUITO

GALÁPAGOS

La ciudad más grande del país

C. Compara con tu compañero los dos ejercicios. ¿Tenéis lo mismo?

PASATIEMPOS

A. Completa el crucigrama con las palabras que aparecen en el recuadro. Todas están relacionadas con Ecuador.

OTAVALO

LAGO

BAÑOS

ECUATORIANA

LA MITAD DEL MUNDO

PERÚ

AMAZONÍA

CUENCA

ARCHIPIÉLAGO

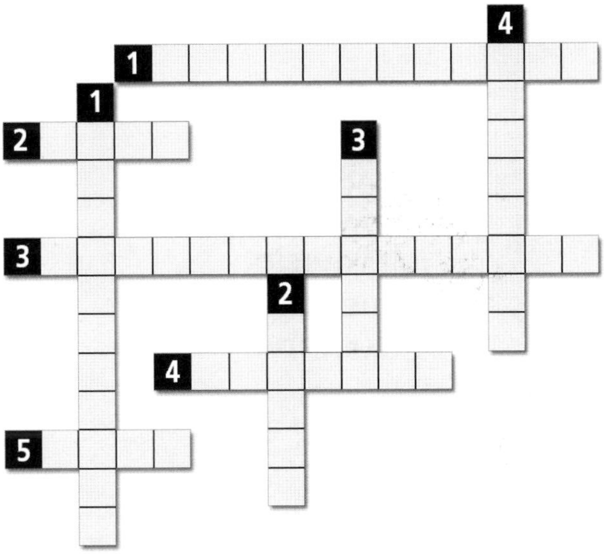

B. Vamos a dar un paseo por Ecuador. Después, relaciona las palabras del crucigrama con las siguientes definiciones.

HORIZONTALES

Ecuador limita al sur con...

Monumento que se encuentra exactamente sobre la línea del ecuador

Ciudad ecuatoriana con un importante mercado

Gran superficie cubierta de agua

Conjunto de islas

VERTICALES

Mujer de Ecuador

Ciudad ecuatoriana Patrimonio Cultural de la Humanidad

La selva más grande del mundo

Ciudad ecuatoriana famosa por sus baños termales

EN ECUADOR HAY DE TODO

A. ¿Qué crees que tienen en común las palabras de cada grupo?

1

AZOQUES
BAÑOS
OTAVALO
PORTOVIEJO
CUENCA
GUARANDA

2

MARIPOSA
TORTUGA
LEÓN
MARGARITA
FOCA
ORQUÍDEA

ciudades
flora y fauna
accidentes geográficos
obras arquitectónicas

3

VALLE
MONTAÑA
NEVADOS
ARCHIPIÉLAGO
MESETA
PENÍNSULA

4

IGLESIA
MUSEO
MONASTERIO
CONVENTO
PUENTE
CATEDRAL

B. Mientras ves el reportaje, marca aquellas palabras que oigas o que "veas". Después, compara con tu compañero. ¿Habéis marcado lo mismo?

Regiones naturales

COSAS DE INTERÉS

Avifauna
Debido a la variadad de hábitats, Ecuador es un lugar idóneo para los amantes de la observación de aves. Han sido registradas más de 1500 especies. Alguna de las más conocidas son la estrella de los Andes (un diminuto pájaro que adapta su temperatura corporal al clima) o el cóndor andino, una de las aves más grandes del mundo, así como gran diversidad de tucanes.

Churute
Es una reserva ecológica de manglares, arbustos tropicales que crecen en los estuarios. En ella suelen criar tanto animales acuáticos como terrestres.

Sombreros Panamá
Estos sombreros, flexibles y resistentes a la vez, han gozado de gran fama desde el tiempo de la Conquista. Se fabrican con una planta específica, la *Carludovica palmata*, y siguen un proceso especial de preparación del material, así como en el tejido. Montecristi es la principal ciudad donde se fabrican estos sombreros.

Zaruma
Población minera situada en la zona montañosa cerca de la costa meridional que data de la época colonial. Desde hace poco tiempo, ha cobrado interés por el descubrimiento de ruinas precolombinas en las localidades de Chepel, Trencillas, Payama y Pocto. Cabe destacar su arquitectura colonial, bien conservada, y el paisaje.

Puyango
Uno de los tres bosques petrificados que hay en el mundo. Tiene más de 120 millones de años.

Vilcabamba
Valle situado al sur de la ciudad de Loja, famoso por la longevidad de sus habitantes. Aunque parece que hay algo de leyenda en esta afirmación, es cierto que hay muchos ancianos, de entre 70 y 100 años, activos y sanos.

El Clima y la biodiversidad
Ecuador es un país de contrastes. Por su situación geográfica, a latitud 0°, en el ecuador terrestre, carece de las cuatro estaciones y su clima depende de la zona. La zona norte tiene un clima cálido y húmedo, con lluvias constantes y temperaturas superiores a los 25° C. En el sur, el año se divide en una estación seca y otra lluviosa y la temperatura es inferior a 25° C. En la Sierra, el clima depende de la altura: cuanto más alto, más lluvias y temperaturas más bajas. A partir de los 4500 m aparecen las nieves perpetuas.

Saraguros
Nombre de una tribu indígena que habita en la zona de la sierra meridional. Van vestidos con ropas hechas de lana negra o azul añil oscuro, que llevan como luto por la muerte del inca Atahualpa. La mayoría de los tejidos son cosidos a mano. Las mujeres se adornan con hermosas joyas.

La escuela quiteña

La escuela de Quito de arte y arquitectura se fundó a partir de la llegada de los franciscanos, que en la construcción de sus iglesias descubrieron y aplicaron las habilidades de los pueblos indígenas. A su vez colaboraron también musulmanes convertidos. Así, en la arquitectura colonial de Quito podemos encontrar influencia mudéjar junto a la incaica, como los motivos solares. Hacia mediados del siglo XVIII, en Quito había 30 gremios dedicados a la producción artística de obras religiosas.

Fiestas

Antes de la colonización, las fiestas seguían el ciclo de la agricultura. Con la llegada de la Iglesia, estas fiestas pasaron a coincidir con los días de celebraciones de santos. Algunas de las fiestas tradicionales más conocidas tienen lugar en poblaciones rurales, como la fiesta de Corpus en Salasaca, que se celebra con música y bailes de disfraces y máscaras de yeso. En Otavalo la fiesta de San Juan dura una semana y los hombres son los protagonistas. En Latacunga, la fiesta de la Mamá Negra, el 23 y 24 de septiembre, con desfiles y figuras alegóricas, disfraces, música y fuegos artificiales y baile toda la noche. También se celebra una misa a media noche, ya que se trata de la festividad de la Virgen de las Mercedes. Los fuegos artificiales se montan sobre unos palos de bambú con forma de aves, torres o animales que son llevados por los hombres mientras desfilan bailando.

Comunidades aborígenes en Amazonas

La conquista española de Ecuador y Perú supuso una crisis para las civilizaciones que poblaban el Amazonas, sobre todo a causa de las epidemias que los conquistadores trajeron consigo, para las cuales la población amazónica no estaba preparada. Actualmente en la selva amazónica ecuatorial viven distintos grupos étnicos, el más numeroso es el quichua (con 60 000) personas, le sigue el shuar, el achuar, el huaorani, el siona-secoya y el cofán.

PREFERENCIAS

A. Éstas son algunas de las actividades que se pueden hacer en Ecuador. Ordénalas según tus preferencias.

Bañarse en la playa ☐

Aprender sobre civilizaciones antiguas ☐

Comprar artículos de artesanía ☐

Visitar ciudades de interés arquitectónico ☐

Fotografiar animales en las islas Galápagos ☐

Escalar volcanes y montañas nevadas ☐

Dar un paseo montado en una llama ☐

Navegar en canoa por la Amazonía ☐

B. ¿Con cuál de tus compañeros irías de viaje a Ecuador? Busca al que haya ordenado las actividades de forma igual o más similar a la tuya.

C. Mira ahora el vídeo. ¿Qué otras cosas se pueden hacer en Ecuador? Coméntalo con tu compañero de viaje.

ARTESANÍA ECUATORIANA

A. Lee este texto sobre un objeto artesanal típico de Ecuador. ¿Sabes a cuál nos estamos refiriendo? ¿Te atreves a dibujarlo?

ARTESANÍA ECUATORIANA

Uno de los objetos más típicos de la rica artesanía de Ecuador es el _____ Panamá. ' Estos _____ se fabrican en Ecuador, en la ciudad de Montecristi. Parece que su nombre se debe a un fallo de memoria de los buscadores de oro del siglo XIX, que olvidaron el lugar donde los habían comprado.

Se fabrican con el tallo de una planta llamada *Carludovica palmata*. Antes de empezar a tejer, hay que preparar el material para conseguir un _____ tan flexible y resistente que se pueda doblar en cuatro y que, si se pone al revés con agua dentro, no cae ni una gota. El proceso de elaboración manual puede durar hasta tres meses.

Cuando llegaron los conquistadores españoles se quedaron impresionados con los _____ de paja que llevaban los indígenas de la provincia de Manabí y pronto los utilizaron ellos mismos. A partir de la Exposición Universal de París en 1855, estos _____ se introdujeron en Europa y, como se puede ver en algunos cuadros de Renoir, se pusieron de moda rápidamente. En 1898, en la guerra hispanoamericana, los soldados americanos que luchaban en el Caribe y en Filipinas los usaban. Medio siglo más tarde, en los años cincuenta, se convirtieron en una prenda básica de los gángsters de Chicago y también tuvieron mucho éxito en Hollywood.

Actualmente, ya no hay tanta demanda y los artesanos tienen que fabricar otras cosas como muebles, cestas y objetos de decoración.

B. Mira ahora el reportaje y averigua en cuál de las regiones naturales de Ecuador se fabrica este objeto artesanal.

UN CONSEJO PARA UN AMIGO

A. Vas a dar un paseo por las cuatro regiones naturales de Ecuador. Anota tus impresiones sobre cada una de ellas.

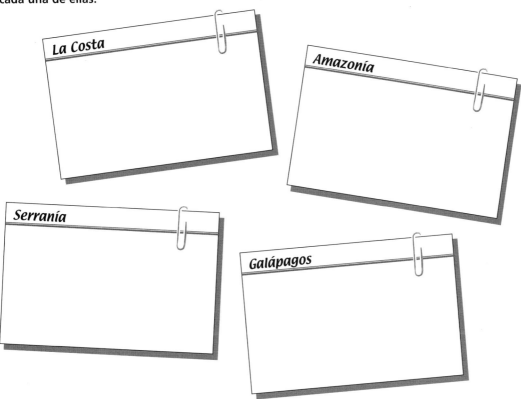

B. Alejandro, un amigo tuyo argentino, quiere hacer un viaje a Ecuador y te pide que le recomiendes algunos lugares o zonas. Escríbele un e-mail con tu propuesta.

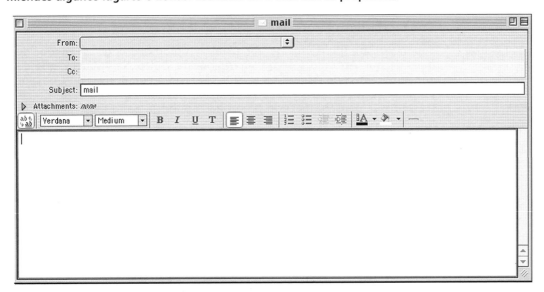

Guayas

COSAS DE INTERÉS

Tierras fértiles
A excepción de algún pequeño desierto, de zonas protegidas o de alguna cordillera agreste, todo el suelo de Ecuador se utiliza para la agricultura. En Guayas y, en general, en toda las costa, se cultiva sobre todo banana, café, cacao y caña de azúcar, mientras que las tierras del interior dan principalmente patata, maíz y arroz. En Guayas el arroz se cultiva en la cuenca baja del río Babahoyo.

Recursos marinos
En los últimos años se están explotando viveros de camarones en la zona de Guayas y en otras zonas costeras. La pesca ha sido siempre una de las actividades básicas de esta región. En Playas, cerca de Guayaquil, algunos pescadores todavía utilizan embarcaciones de balsa muy parecidas a las preincaicas.

Leyenda de Guayas y Quil
La ciudad de Guayaquil ya existía antes de la llegada de los españoles. Los indígenas valdivianos vivían en esta zona alrededor del año 2000 a.C. y después se instalaron los huancavilcas. Cuenta la leyenda que el jefe de los huancavilcas, Guayas, para escapar de la captura de los españoles, mató a su bella mujer Quil y luego se suicidó arrojándose al mar. Esta leyenda inspiró el nombre de la ciudad.

Cultura valdivia
Es la cultura más antigua de Ecuador, data del año 3000 a.C. En la ciudad de Valdivia, el centro de esta cultura, hay un museo donde se pueden ver piezas halladas en la zona, aunque es en los museos de Quito y Guayaquil donde podemos ver los mejores hallazgos.

Simón Bolívar
Simón Bolívar, libertador de Venezuela y Colombia, llegó a Ecuador después de que Antonio José de Sucre liberara Quito. San Martín, que a su vez había liberado Argentina y Chile, se reunió con Bolívar en Guayaquil en julio de 1822. Los dos querían unir las naciones liberadas, pero mientras Bolívar pensaba hacerlo bajo una república, San Martín quería una monarquía.

Cristo negro de Nobol
Se trata de la figura de Cristo tallada en madera negra, pero su fisonomía es la de un hombre blanco.

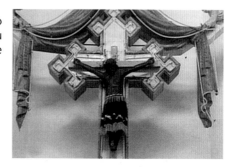

Iglesia de Santo Domingo

Esta iglesia es más conocida como Iglesia de San Vicente. Construida en 1548, es la iglesia más antigua de Ecuador. Fue restaurada en 1938. Tiene un patio con un pozo al que se le atribuyen poderes curativos.

Cementerio

Destacan las esculturas de mármol y los mausoleos de estilo grecorromano. Una avenida de palmeras conduce a la tumba del presidente Vicente Rocafuerte (siglo XIX).

Los amantes de Zumpa

En Santa Elena, se encuentra la tumba de los amantes de Zumpa, dos esqueletos humanos que están abrazados. Se cree que puede tener una antigüedad de 3500 años.

Churute

Reserva ecológica de unas 35 000 hectáreas. Gracias a su difícil acceso, no ha sido explotado por la industria camaronera, como ha ocurrido en otros lugares.

Río Guayas

El río que baña la ciudad de Guayaquil. Es utilizado por pequeñas embarcaciones y canoas, algunas de ellas cargadas con productos de las plantaciones del interior. También es frecuente ver excursionistas por sus aguas y márgenes.

Playas

En la costa de Guayas hay playas de gran interés turístico. La más cercana, Playas, es el lugar de veraneo preferido por muchos guayaquileños. Otras playas importantes son Data de Villamil y las de la isla de Puná. Pero el lugar turístico por excelencia es Salinas, situada en la bahía de la península de Santa Elena. Salinas también es famosa entre los aficionados a la pesca deportiva.

PARA TODOS LOS GUSTOS

A. Éstos son algunos de los alimentos más comunes de Ecuador. ¿Aparecen todos en el vídeo de Guayas? Numéralos por orden de aparición y descubre cuáles no aparecen.

B. ¿Sabes el nombre de todos estos alimentos? Escríbelo debajo de cada foto. Puedes preguntarle a tu profesor.

C. Vuelve a ordenarlos, pero ahora según tus gustos. Puedes incluir también los alimentos que no aparecen en el vídeo. Coméntalo con tu compañero. ¿Tenéis los mismos gustos?

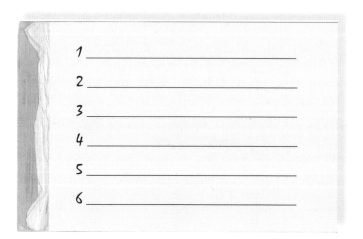

1 _____

2 _____

3 _____

4 _____

5 _____

6 _____

Datos y mapa de Ecuador

DATOS DE INTERÉS

División geográfica y política

Ecuador tiene una extensión de 270 670 km2 y está dividido en cuatro regiones naturales. Una de ellas es el archipiélago de las Galápagos y las otras tres tienen una división territorial dependiendo de su posición respecto a la cordillera de Los Andes que cruza el país de norte a sur: la anteandina (Costa), la interandina (Serranía) y la transandina (Amazonía). A nivel político, se divide en 22 provincias: Azuay, Bolívar, Cañar, Carchi, Cotopaxi, Chimborazo, El Oro, Esmeraldas, Guayas, Imbabura, Loja, Los Ríos, Manabí, Morona-Santiago, Napo, Orellana, Pastaza, Pichincha, Sucumbios Zamora-Chinchipe, Tungurahua y Galápagos. En Pichincha, se encuentra la capital de Ecuador, Quito. Pero el centro económico e industrial es Guayaquil, la localidad más poblada. Ecuador tiene una población de 12 562 500 habitantes según datos de 1999.

Clima

Al estar situado en el meridiano del ecuador, no tiene cuatro estaciones diferenciadas. Básicamente, hay dos estaciones: la húmeda, donde abundan las lluvias intensas, y la seca. En la costa, la estación seca dura desde diciembre hasta mayo, en cambio, en Amazonía, sólo de diciembre a febrero el tiempo es algo más seco. En Galápagos no hay estación húmeda y en la sierra el clima depende también de la altura a la que se encuentra cada lugar. Por eso, en las zonas altas de las montañas y volcanes, podemos encontrar zonas de nieve perpetua. Estas diferencias del clima favorecen la diversidad de fauna y flora. Por ejemplo, en Ecuador hay más variedad de aves que en Canadá y Estados Unidos juntos.

Etnias

La mayor parte de la población, un 41%, está compuesta por mestizos, provenientes de la mezcla de los españoles que llegaron con la conquista y los indios. De todas formas, los indios representan un 39% de la población. En un menor porcentaje, se encuentran los blancos, un 10%, y los negros, un 5%, que se concentran mayoritariamente en la región de Esmeraldas, a donde llegaron como esclavos para trabajar en las plantaciones. El resto del porcentaje está compuesto por inmigraciones posteriores, sobre todo chinos, que se instalaron en Guayaquil, y libaneses, que llegaron a Ecuador a principios del siglo XX. Actualmente, el Ecuador es un país de emigración, acelerada por la crisis económica de los últimos años.

Ciudades

Hay que resaltar otras ciudades importantes, además de Quito y Guayaquil. En cuanto a la agricultura, destacan Ambato, Babahoyo, Esmeraldas, Machala, Portoviejo, Ibarra y Latacunga, con grandes producciones de fruta, cacao, café, azúcar, cebada, vid y, por supuesto, banana. En cuanto al turismo, todas las localidades situadas en la costa del Pacífico reciben numeros visitantes. Esmeraldas y la provincia de Gauyas destacan además por su actividad pesquera. La ciudad de Cuenca es importante por su arquitectura colonial, la UNESCO la ha declarado Patrimonio Cultural de la Humanidad.

Islas Galápagos

OCÉANO PACÍFICO

GU

Ecuador

Economía

La agricultura es la base de la economía del país, ocupa un 30% del trabajo. Mientras la agricultura de exportación se da en la región de la costa, en la sierra la agricultura es mayoritariamente de subsistencia, maíz y patatas. En esta región, en cambio, destaca la ganadería. La industria experimentó un crecimiento a mediados de los años setenta, llegando a alcanzar en la época actual el 21% del producto nacional. Esta industria es básicamente de alimentación, refinería de azúcar, bebidas, fabricación de cacao y conservas, tanto de carne como de pescado. Por otra parte, el petróleo supone actualmente la mayor entrada de divisas. La extracción se concentra en Ancón, lago Agrio, Shushufindi y Sacha, y las refinerías están en Esmeraldas, La Libertad y Cautivo. Los hidrocarburos también son una fuente de ingresos importantes.

Gastronomía

Esta importante agricultura determina una gastronomía basada en el maíz y la patata en las zonas del interior y pescado en la costa. Con el maíz, se prepara una variedad de manjares, humitas, tamales o choclo que es la mazorca de maíz asada. La patata es el ingrediente básico del locro, que es una sopa que también lleva ají, especie picante que se utiliza en la elaboración de muchos platos El pescado se toma sobre todo en el cebiche. Y con la carne se hacen desde empanadas hasta asados, como el seco de chivo.

Historia

Se puede afirmar que 30 000 años a.C. los Andes estaban habitados. Pero parece que hasta el período Valdivia (3500-500 a.C) no se establecen comunidades permanentes en asentamientos. En los períodos posteriores, culturas de La Tolita y Manta, ya se empieza a trabajar el oro y otros metales, así como la cerámica e incluso telas de algodón. A partir del siglo X, diversas culturas que llegan a alcanzar un gran desarrollo, habitan en la sierra. En 1460, la llegada del inca Túpac Yupanqui supone el comienzo de una conquista que cobra muchas vidas en la población. A medida que los incas iban ocupando territorio, hacían construir templos y fortificaciones. La mejor conservada es la de Ingapirca, que significa muro de piedra inca. La costumbre de mascar hojas de coca fue introducida por los incas. En 1526, llegan los primeros conquistadores españoles a Esmeraldas.

El período colonial abarca desde 1550, cuando se empieza a dividir la tierra en un sistema de latifundios y servidumbre, hasta 1822, cuando el ejercito realista es liberado en la batalla de Pichincha. Con la proclamación de la República del Ecuador, en 1830, Ecuador deja de formar parte de La Gran Colombia. En 1861, se impone una dictadura tras años de desorden político. Esta dictadura finaliza con el asesinato del presidente en 1875. En 1912, el presidente liberal Eloy Alfaro es asesinado. En 1941, tiene lugar una guerra civil con Perú, en la que Ecuador pierde parte de la provincia de El Oro. En 1964, se lleva a cabo una reforma agraria que permite a los indígenas el título de propiedad de tierras. En 1978, un gobierno de centro–izquierda promueve la alfabetización, sube los salarios y fomenta los sindicatos. El último lustro del siglo XX, representa para Ecuador un período de inestabilidad política con cambios continuos de presidentes. Esto repercutió en la economía que finalmente en marzo de 2000 obliga a Ecuador a adoptar el dólar como patrón de cambio.

Arte

En todas las épocas podemos encontrar muestras de movimientos artísticos importantes. Ya en la época precolombina en Ecuador se producían hermosos objetos de cerámica, oro y otros metales. De la época colonial, destaca los trabajos de arquitectura y decoración llevados a cabo por La Escuela Quiteña, fundada por los jesuitas. El movimiento artístico que destaca actualmente en Ecuador y que tiene repercusión en el extranjero es la pintura: Guayasamín, Kingman y Egas son los máximos exponentes. Los tres pertenecen al movimiento indigenista. Este movimiento no destaca por su estilo, sino el tema, el pueblo indígena.

DIME A DÓNDE VIAJAS Y TE DIRÉ QUIÉN ERES

A. Fíjate en estos cuatro personajes. ¿A dónde crees que le gustaría viajar a cada uno?

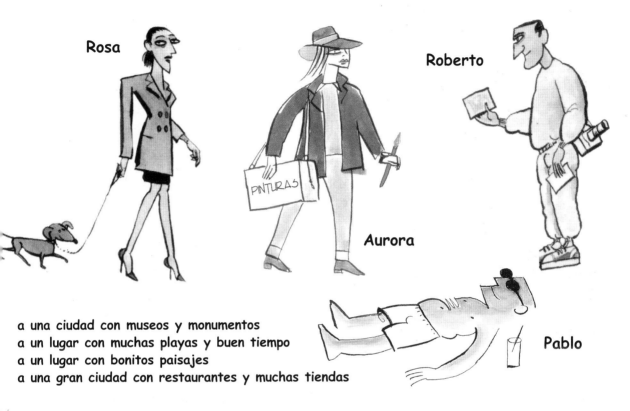

a una ciudad con museos y monumentos
a un lugar con muchas playas y buen tiempo
a un lugar con bonitos paisajes
a una gran ciudad con restaurantes y muchas tiendas

B. Ahora, elige un personaje y, mientras ves el vídeo, escribe los lugares de Guayas a los que probablemente crees que iría.

C. Presenta el personaje al resto de la clase y explica a dónde iría y por qué.

HACE MILES DE AÑOS...

A. En Guayas se han encontrado restos de varias civilizaciones antiguas. Después de leer el texto, ¿sabrías decir el nombre de la más antigua?

G U A Y A S

La mayoría de los historiadores opinan que las primeras comunidades que se asentaron en un lugar fijo lo hicieron en torno al año 3000 a.C. A partir de las piezas de cerámica encontradas en la costa de Ecuador, pertenecientes a la cultura valdivia, han llegado a la conclusión de que éste es el primer asentamiento. Esta cultura se extendió por la costa de manglares y por el interior hasta las colinas.

La cultura de La Tolita llegó a su máximo esplendor hacia el año 300 a.C., y ocupó la parte de la costa norte del Ecuador y el sudeste de Colombia durante 700 años. El yacimiento principal se encuentra en una pequeña isla pantanosa en la desembocadura del río Santiago. En esta isla, La Tolita, se descubrió también una magnífica máscara del Dios Sol, adornada con rayos solares. Por la cantidad de oro encontrado en este yacimiento, se supone que se trataba de un lugar sagrado. El trabajo de oro y platino y las esculturas son de gran calidad y belleza.

La cultura manta floreció en el periodo anterior a la conquista inca, entre el 500 a.C., y el 1500 d.C. También produjo bellísimos objetos de oro, plata, cerámica y piedra, incluso mantas de algodón. Se ha calculado que la ciudad de Manta tenía una población de 20 000 personas. Existen pruebas de que los manteños comerciaron con pobladores de Perú y México. Algunos arqueólogos sostienen, a partir de trozos de cerámica encontradas en Galápagos, que éstos fueron los descubridores del archipiélago.

B. Mira el vídeo. ¿Hay algún dato más en el reportaje sobre alguna de estas culturas?

Esmeraldas

COSAS DE INTERÉS

Esmeraldas, su nombre

El nombre de la provincia se debe a esta piedra preciosa que abundaba en el río del mismo nombre. Ya en el siglo X, los indígenas que habitaban esta zona, los cara, adoraban a una esmeralda enorme llamada Umina.

Majagual

Zona donde se encuentran los manglares más altos del mundo. Su nombre viene de la majagua, una planta enredadera que crece en esta zona.

Cotacachi Cayapas

Esta reserva ecológica tiene 204 400 hectáreas y en ella se encuentra gran variedad de pasiajes: desde un bosque tropical hasta llanuras barridas por el viento. Tiene, por tanto, una gran variedad de flora y fauna. En este lugar viven los indígenas cayapas, que todavía conservan sus costumbres ancestrales.

Bosque húmedo de San Lorenzo

En Esmeraldas existe una franja de bosque tropical cerca de la costa. En ella se localiza este bosque húmedo, o selva pluvial donde la lluvia es casi constante. En esta zona podemos encontrar especies de árboles altísimos junto a plantas más pequeñas, más características de las selvas de Amazonas.

Producción agrícola

En Esmeraldas se cultiva principalmente cacao y banana. Llegó a ser una de las principales zonas de producción agrícola del mundo; hoy en día, debido a una plaga que azotó Ecuador en 1922, la producción de cacao ha descendido considerablemente en todo el país y la zona de mayor producción de banana ha sido desplazada a Machala, en Guayas.

La Tolita

Esta civilización tuvo su origen alrededor del año 300 a.C. y se extendió por la costa del norte de Ecuador y sudeste de Colombia hasta el año 700 d.C. El yacimiento más importante hasta ahora encontrado se halla en una pequeña isla situada en la desembocadura del río Santiago. En 1920 exploradores europeos descubrieron objetos de oro de gran calidad y belleza. También se descubrieron esculturas que representan dioses y humanos. Resulta de gran interés el trabajo del metal, teniendo en cuenta los instrumentos tan básicos de los que disponían.

Playas

Esmeraldas tiene fama de albergar las playas más bonitas de Ecuador. Atacames, Same y las playas de la isla de Muisne, a 83 kilómetros de Esmeraldas, son algunos de los mejores ejemplos.

La marimba

Este baile fue introducido en Ecuador por los esclavos africanos, que llegaron para la explotación de las plantaciones de cacao y banana, principalmente, un siglo después de la colonización española. Los marimberos son los bailarines que danzan al ritmo de una música basada en ritmos africanos. El bombero es el que dirige la banda, tocando un bombo de tono muy grave colgado del techo. El balanceo es tan sensual que se dice que los niños pasan a ser hombres cuando dominan el arte de bailar la marimba.

Afroamericanos

La llegada de los españoles a Esmeraldas y al resto del continente americano supuso la erradicación de la raza indígena pura, por exterminación o por mezcla, dando origen a los mestizos. Un siglo después, con la llegada de los esclavos de África, se creó la raza mulata (mezcla de afroecuatorianos y españoles). La influencia africana es un aspecto destacable de esta región.

Avifauna

En las costas esmeraldinas es frecuente ver dos especies de aves poco comunes en otras costas: la fragata o rabihocardo y el piquero patas azules. Lo que más llama la atención de la fragata es que los machos, en época de celo, inflan una gran bolsa roja que tienen bajo el pico. Del mismo modo, el piquero macho tiene patas azules, que muestra a la hembra para cortejarla.

ME APETECE...

A. En Esmeraldas se pueden hacer todas estas cosas. ¿Cuál te apetece más? ¿Por qué? ¿Y a tu compañero?

PASAR UN DÍA ENTERO EN LA PLAYA

HACER UNA EXCURSIÓN POR EL
BOSQUE Y VER ANIMALES EXÓTICOS

VISITAR UN MUSEO DE
ARTE PRECOLOMBINO

IR A UNA FIESTA TÍPICA

B. Vamos a dar un paseo por Esmeraldas. Después de ver el vídeo, ¿sigues pensando lo mismo? ¿Qué cosas te han sorprendido? Coméntalo con tu compañero.

LOS MARIMBEROS

A. Vamos a dar un paseo por Esmeraldas, provincia de Ecuador. Luego, completa, con la información y las imágenes del vídeo, el siguiente texto sobre un baile típico de esta provincia.

África   pañuelos
parejas   baile
camisas   sensuales
instrumento

La marimba es un _____, como el bombo y el cununo. Está hecho con palos de madera y es parecido al xilofón. Estos instrumentos reciben el calificativo de macho o hembra según los sonidos sean más graves o más agudos. La marimba es también el nombre de un _____. Los marimberos danzan en _____ al ritmo que marca el bombero, el director de la banda, que toca un bombo colgado del techo.

Este baile procede de _____. Llegó con los esclavos que se utilizaban como mano de obra en las plantaciones, un siglo después de la conquista de América. Los trajes de los marimberos varían según la banda, pero todos tienen en común los pantalones para los hombres y las faldas para las mujeres, combinado con blusas y _____. En la cabeza llevan_____.

Los movimientos de esta danza son muy _____. Por eso se dice que los chicos se hacen hombres cuando dominan el arte de este baile.

B. Vuelve a ver el fragmento que trata sobre los marimberos y comprueba tus propuestas.

C. ¿Te atreves a dibujar los instrumentos que aparecen en el vídeo? Tu profesor te ayudará a identificarlos.

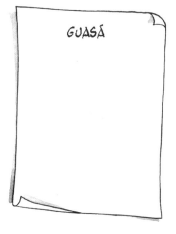
GUASÁ

MARIMBA

BOMBO

PERIODISTAS

A. Imagina que eres un periodista de una revista de viajes. Te encargan un breve artículo (150 palabras) sobre Esmeraldas, provincia de Ecuador. Primero mira el reportaje, toma notas y después redacta el artículo.

B. ¿Con qué imagen te quedas para ilustrar el artículo? ¿Por qué?

C. Lee tu artículo al resto de la clase y elegid, entre todos, el que se publicará.

El Oro

COSAS DE INTERÉS

El Oro, su nombre
La provincia de El Oro recibe este nombre por las minas que se encontraban allí y que fueron explotadas durante la época colonial. De todas maneras, la minería en Ecuador no es tan importante como en sus países vecinos, ya que en total solo representa un 2% del producto interior bruto y ocupa un 0'25% de la población activa. Destacan el azufre, la caliza, el cuarzo, el lignito y el yeso.

Playas tropicales
Como toda la costa de Ecuador, esta provincia tiene extensas playas de arena blanca.

Manglar
Arbusto tropical que crece en las orillas de los ríos. En las zonas de manglares se crían peces, moluscos y crustáceos. Los manglares son además un hábitat para insectos y aves.

Agricultura
Al igual que Esmeraldas, El Oro tiene una fértil tierra donde crece el cacao y el café, pero sobre todo el banano. Aunque esto no ha sido siempre así: durante el siglo XIX y parte del XX el cacao fue el cultivo principal.

Manchala
Es la cuarta ciudad de Ecuador en número de habitantes, 144 000. Se la conoce como la capital del banano porque es el centro mundial de mayor exportación. Cada año, a finales de septiembre, se celebra el Festival Internacional de la Banana.

Puerto Bolívar
Así se llama el puerto de la ciudad de Machala. Se trata de un puerto internacional, desde donde se exportan principalmente bananos y camarones.

Bosque húmedo de Glaucay
La palabra "bosque húmedo" se refiere a una zona de espesa vegetación donde, debido a las abundantes lluvias y a la humedad, se encuentra un tipo de vegetación más característica de la selva amazónica. Esto a su vez favorece una determinada fauna y es, por tanto, de gran interés científico y ecológico.

Archipiélago de Jambelí
Zona muy hermosa y poco explotada a la que solo se puede llegar en barco desde Puerto Bolívar. En ella se pueden admirar exóticas e infrecuentes especies de aves.

Zaruma
Esta población, situada en las montañas cercanas a la costa meridional, es fruto del auge minero de la época colonial. Desde hace poco tiempo, es de nuevo objeto de interés por el descubrimiento de ruinas precolombinas en Chepel, Trencillas, Payama y Pocto. Cabe destacar su arquitectura colonial, muy bien conservada, y el paisaje.

Puyango

Es una reserva de 2600 hectáreas con más de 130 especies de pájaros. De enorme valor geológico, encontramos árboles fosilizados de hasta 11 m de alto y 1,6 de diámetro, así como helechos y otras plantas. Este bosque tiene más de 120 millones de años.

Cebiches

Es un plato típico de la costa ecuatoriana y peruana que consiste en pescado o marisco crudo que se macera con limón. También lleva ají, especia básica en la comida ecuatoriana.

Sacamanos

Buscadores de mariscos con concha, que se ocultan bajo la arena mojada en las zonas de manglares. Las conchas recogidas se preparan según alguna de las muchas recetas típicas de la gastronomía ecuatoriana. Son un plato muy apreciado.

COSAS PARA VER EN EL ORO

A. Aquí tienes unas imágenes que aparecen en el vídeo que vas a ver. El texto no corresponde con la imagen. ¿Puedes ordenarlo?

1

A El bosque de Puyango tiene más de 120 millones de años.

2

B Zaruma es un pueblo situado en la montaña. En la época colonial fue una ciudad importante por las minas de oro.

3

C En El Oro se cultiva cacao, café y, sobre todo, banana. Machala es la capital mundial de la banana.

4

D El cebiche es un plato típico del Ecuador.

5

E Los sacamanos recogen las conchas con las manos en las orillas de los ríos.

B. ¿Qué otros aspectos de El Oro te parecen interesantes? Coméntalo con tu compañero.

LOS MEJORES CEBICHES

A. La provincia de El Oro es famosa en Ecuador por su excelente gastronomía. Mientras ves el reportaje sobre esta provincia ecuatoriana, toma nota de los alimentos y platos típicos de El Oro.

B. El cebiche es un plato típico, no solo de Ecuador, sino del Perú y de otros países. Aquí tienes la receta. ¿Crees que te gustaría?

Cebiche de camarones

INGREDIENTES

2 libras de camarones
1 taza de leche
1 libra de cebolla
1 libra de tomates
1 taza de salsa de tomate
10 limones
1 naranja

1 taza de aceite de oliva
1 cucharadita de mostaza
1 ají hervido y molido
sal
perejil para adornar
maíz
maníes fritos

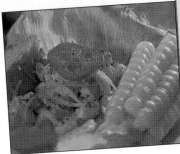

PREPARACIÓN

Primero, se lavan los camarones y se hierven durante cinco minutos en agua con una taza de leche y sal. Una vez hervidos, se les quita la piel y la vena negra que tienen en el lomo y se enjuagan en agua fría. Se dejan aparte.

La cebolla se pica lo más fino posible, se hierve durante un minuto y, antes de enjuagarla, se pasa por agua fría. A continuación, se pone la cebolla en un recipiente hondo y se cubre con el jugo de los limones.

Cuando la cebolla haya tomado color, se añade el jugo de la naranja y de los tomates. Se mezcla todo bien y después se pone sobre los camarones. Seguidamente, se echa el aceite de oliva, la salsa de tomate, la sal, la mostaza y un poco de jugo de ají. Se revuelve todo para que se mezcle bien y se deja reposar en un sitio fresco, dos horas como mínimo.

Sugerencia: Es mejor servirlo en cuencos individuales o en copas, adornado con perejil y, en otro plato, o en una bandeja, servir maíz o maníes fritos y pan.

C. ¿Sabes lo que es el maní? En España se llama cacahuete. Hay muchos alimentos que tienen distintos nombres en España y en Ecuador. Con ayuda del diccionario, del profesor o de Internet, averigua la palabra española para:

PAPA   CHOCLO   ZAPALLO   CHANCHO

LAS LENGUAS DE ECUADOR

A. En este texto encontrarás el nombre de las lenguas que se hablan en Ecuador y la procedencia de muchos topónimos (nombres de lugares).

Las lenguas de
ECUADOR

En Ecuador, el idioma oficial es el español, pero ésta no es la única lengua que se habla en el país. Los indígenas hablan quichua, el idioma que se hablaba en esta zona hasta el siglo XIV. Durante los siglos XIV y XV, antes de la llegada de Colón al continente americano, los incas que vivían en el territorio que hoy conocemos como Ecuador adoptaron la lengua del Perú, el quechua, que se extendió por todos Los Andes. Existen diferentes dialectos que proceden del quichua o del quechua.

Muchos de los nombres geográficos son palabras quichuas. Por ejemplo, Ingapirca significa "muro de piedra inca", Cotopaxi, el nombre que le dieron al volcán por su forma, significa "dulce cuello del sol" y Xahuarcocha "lago de sangre", es el nombre que le pusieron los indígenas cañaris cuando fueron ejecutados por los incas y arrojados a este lago.

B. Zaruma es una pequeña ciudad situada en las montañas de la provincia de El Oro. Su nombre es también de origen quichua. Mientras das un paseo por esta provincia, intenta averiguar el significado de la palabra *zaruma*. ¿Por qué crees que le pusieron ese nombre?

> Zaruma significa ....
> .... y
> creo que tiene este nombre
> porque ....
> ....
> ....

C. ¿Cómo se llama la ciudad en la que vives? ¿Sabes por qué se llama así? Cuéntaselo a tus compañeros.

PALABRAS

altiplano: meseta de mucha extensión y de gran altitud.

cebiche: plato típico de la costa ecuatoriana que se elabora a base de pescado crudo o marisco macerado con limón. También lleva ají, especia característica en la comida ecuatoriana.

cununo: bombo largo de piel de venado que produce un sonido más grave que el bombo común, por eso también se le llama bombo macho.

endémico: adjetivo que se aplica a las especies de animales y vegetales que son propios y exclusivos de una determinada región.

estero: terreno bajo y pantanoso que suele llenarse de agua por la lluvia o filtración de un río, como en Guayas.

fragata: es un ave que puede verse cerca de la costa. Lo que más llama la atención de estas aves es que los machos, en época de celo, inflan una gran bolsa roja que tienen bajo el pico.

guasá: instrumento musical que consiste en una caña con semillas dentro y que se agita para producir sonido.

llama: mamífero de la familia de los camellos que se encuentra en Los Andes. Es usado como animal de carga, pero también se aprovecha su carne y su lana.

manglar: arbusto tropical que crece en los estuarios fluviales. Los manglares son territorio de cría marítima y terrestre.

marimba: instrumento musical, parecido al xilofón, hecho con palos de madera.

melcocha: dulce hecho a base de *panela* (azúcar de caña sin refinar), que se trabaja dándole vueltas sobre un clavo hasta que se vuelve de color blanco.

pambil: palma más pequeña que la real, pero con un tronco esbelto, que se usa en la construcción.

piquero patas azules: tipo de ave que habita en algunas pocas zonas determinadas del planeta, entre ellas las Galápagos y la costa ecuatoriana. Se caracteriza por las patas azules del macho que utiliza para cortejar a la hembra. Ambos incuban los huevos.

orquídea: planta con flores de colores y formas exóticas que crecen en climas tropicales y templados.

sacamanos: buscadores de conchas en las zonas de manglares. Las conchas se utilizan en la cocina ecuatoriana.

tapir: mamífero que habita en la selva amazónica. Pesa unos 270 kilos, tiene las patas cortas y fuertes y un cuello ancho, su cuerpo tiene forma de barril. Lo más característico es su trompa corta, con la que consiguen un buen sentido del olfato.

toquilla: junco con el que se elabora el sombrero panamá. Otras plantas de los bosques costeros que se utilizan para la industria son la *nuez de tagua* y la del *árbol de la balsa*, la madera más ligera del mundo.

TRANSCRIPCIONES

De viaje por Ecuador

Sudamérica, parte noroeste. Aquí se encuentra el pequeño país de Ecuador y sus islas Galápagos.

La capital de Ecuador se llama Quito. Está en el corazón de la cordillera de los Andes, acunada en un valle rodeado de volcanes. Quito es una ciudad colonial donde se puede realizar con asombro un viaje en el tiempo. Sus iglesias y conventos, máxima muestra del barroco en Sudamérica datan del año 1500. A quince minutos de Quito se encuentra el monumento a la Mitad del mundo. Y si viajamos a unos pocos kilómetros al norte o al sur, hallaremos un paisaje casi imposible, tachonado de volcanes y lagunas.

El tren, lleno de nostalgias y emociones, recorre el sendero andino, cruza por La Nariz del Diablo y nos permite admirar la belleza de pueblos y ciudades, con sus gentes y sus páramos, sus volcanes y nevados. Un viaje en tren, un viaje en el tiempo para contemplar el escenario de una cultura milenaria.

Ecuador es un país rico en artesanías, donde los hilos, los metales, los colores y los barros, unidos a la magia de las manos, crean un universo lleno de arte popular. Uno de los lugares más visitados por turistas es la ciudad de Otavalo. Allí se encuentra el mercado indígena más famoso de Sudamérica. La generosa tierra ecuatoriana permite una variada agricultura que muestra su riqueza en mercados indígenas en todas las regiones del país.

Y en el sur del país, la hermosa y colonial Cuenca y sus cuatro ríos, con su riqueza arquitectónica, Patrimonio Cultural de la Humanidad. Recorriendo la línea costera encontramos haciendas de frutas tropicales y camaroneras llegando hasta el histórico puerto marítimo de Chiripe y su sitio arqueológico. Allí, en el parque, se encuentra la isla de La Plata. Guayaquil es la ciudad más grande de Ecuador. Su belleza le ha merecido el calificativo de "perla del Pacífico".

Bajando de los Andes a la Amazonía, de prodigio en prodigio y de cascada en cascada, se pasa por la turística ciudad de Baños, famosa por sus aguas termales. Esta ruta es conocida como el camino de las orquídeas hacia La Amazonía. El Ecuador tiene el más fácil acceso a la Amazonía en el mundo. La selva amazónica, la jungla más grande sobre la faz de la tierra, mantiene la mayor diversidad de animales y plantas sobre el planeta; verde infinita, mariposas como acuarelas voladoras. Las aves con su infinita sinfonía de cantos y plumajes, culturas ancestrales, la magia de la vida en todo su esplendor. Ésa es la selva amazónica ecuatoriana.

El archipiélago de Galápagos, conocido como las islas encantadas, fue para Charles Darwin el paraíso de la evolución. Galápagos es uno de los lugares más ricos del mundo en fauna marina. Galápagos, islas volcánicas, brotadas desde el fondo del mar. Galápagos es el único lugar en la mitad del mundo con pingüinos y focas. Muchas de las especies de Galápagos no existen en ninguna otra parte del mundo, solamente aquí, en las islas encantadas.

Regiones naturales

Costa

Extensos kilómetros de playas tendidas al sol, pesca deportiva, galerías de arte y cultura lo harán vivir momentos inolvidables. Sienta nuestra naturaleza llena de vida y contemple una espectacular avifauna en Cerro Blanco, mientras 50 000 hectáreas de reserva ecológica en los Manglares de Churute dan abrigo a abundantes recursos ictiológicos. Para una aventura especial, conozca de cerca Majahual, los manglares más altos del mundo, en Esmeraldas. Varios científicos catalogan al bosque húmedo de San Lorenzo como el mayor tesoro natural endémico del planeta.

Ahora aprenda del ingenio y habilidad manual en el tejido de los famosos sombreros de paja toquilla. Aunque han sido bautizados como *Panama hats*, nunca dejarán de ser auténticamente ecuatorianos.

La vista no basta para apreciar la grandeza de la provincia de El Oro. Sentirá el abrazo de los paisajes que se deslizan lentos, frente a sus ojos en el bosque húmedo de Ahucay.

Ha caído el sol en el ocaso y Zaruma duerme apacible, recordándole el auge minero, con sus casas señoriales.

Puyango, una maravilla petrificada, 120 millones de años atrás, le invita a conocer los secretos de este bosque que se une a la cordillera de los Andes en Loja. A sus solemnes paisajes, los músicos le han cantado y los pintores le han llevado en sus lienzos. En esta tierra los indígenas saraguros ven en sus manos crecer su arte, mientras en el hermoso y sagrado valle de Vilcabamba la vida se prolonga. Recorra el pasado glorioso de impresionantes civilizaciones aborígenes, quienes dejaron su huella imborrable en cerámicas, oro, plata, majestuosos castillos...

Ninguna arquitectura colonial tiene tanta historia como la de nuestro país. Suntuosas obras religiosas fueron levantadas por artistas de la realeza aborigen. En sus adentros, la escuela quiteña guarda sus tesoros y prodigios.

Cuenta la leyenda que las aguas se repartieron hacia los mares, pero muchas, enamoradas del suelo imbabureño, decidieron quedarse. Por eso, se la conoce, a Imbabura, como la provincia de los lagos.

Serranía
Nuestra serranía combina paisajes subtropicales con altos páramos y el albo reposo de fríos nevados, aunque algunos despiertan para mostrar su furia. Son estos centinelas silenciosos los guardianes de los valles fértiles a quienes las tribus primitivas rendían sagrado tributo. El colorido de los cultivos, reservas naturales, las ferias indígenas, el carácter alegre de nuestra gente, el folclor, arte, historia y tradiciones, lo llevarán de asombro en asombro, porque aquí, cada rincón es único.

Amazonía
Esta naturaleza enamorada de nuestro país derramó el aroma de las flores y se refleja en gigantes espejos en la Amazonía. A treinta grados centígrados, caerá en la tentación de recorrer el exotismo misterioso del follaje tropical, su fauna apacible y la sabiduría profunda de comunidades aborígenes.

Galápagos
Un laboratorio natural, único en el planeta, emergió de las entrañas de los mares para convertirse en refugio seguro de cientos de aves, reptiles, mamíferos e insectos que escaparon del continente para formar lo que hoy conocemos como Galápagos, las islas encantadas. En Galápagos hallará rincones imposibles de conocer en otro lugar del planeta, o la isla Bartolomé, coronada por una gigantesca roca pinacular. Vista desde cualquier atalaya de Galápagos, es como si estuviera viendo el suelo lunar. Al retornar a su país, contará historias increíbles de pingüinos que, cansados de tanto frío, decidieron vivir en la calidez del trópico; o historias de aves que han perdido el don de volar; de tortugas que viven más de un siglo. Mil y mil aventuras ecológicas.

Guayas

Iniciemos el recorrido por la capital de provincia, ciudad portuaria, un marco inconfundible de alegría, pujanza y amor a la tierra de Guayas. Icónico guerrero Huancavilcas y la bella Quil, quienes bautizaron al puerto principal y capital económica del Ecuador como Guayaquil. Amada y codiciada por piratas, la historia patentiza su resistencia en el fortín de La Planchada. Mientras los innumerables incendios cambiaron constantemente la cara de Guayaquil, hasta darle hoy en día ese marco inconfundible de ciudad cosmopolita.

Es que en Guayas no solo se inicia la historia de Ecuador, sino de América. Pues fue precisamente aquí que un pueblo de pescadores se convirtió en heredero de una de las primeras culturas en descubrir la cerámica y desarrollar la agricultura de forma sedentaria, 5000 años atrás. Ésta es la vieja cultura valdivia.

La historia en Guayaquil está diseminada por toda la ciudad. Los libertadores Bolívar y San Martín dejaron la huella de su encuentro de 1822. La torre de estilo morisco, con su reloj que data de 1931. El parque centenario y el monumento a los próceres del 9 de octubre. El parque seminario y la estatua ecuestre del libertador Simón Bolívar. La iglesia de Santo Domingo, más conocida como San Vicente, fue la primera de Guayaquil, construida en 1548. La basílica de La Merced, San Francisco y la catedral metropolitana.

En el museo del Real Alto, viejas culturas costeñas lo asombrarán por su avanzado desarrollo. Evoque lo antiguo y remoto de la cultura lasvegas y aflore sus más recónditos sentimientos al ser parte de la leyenda de los amantes de Zumpa. Los ojos atentos recorrerán la arqueología y el arte colonial en el museo Nahim Isaías, esperando que duren lo más posible en su memoria. Este retroceder en el tiempo le permitirá resumir la historia de Ecuador y su marcada sensibilidad artística. Sensibilidad que también se halla en las esculturas de estilo grecorromano, cuyos creadores hábilmente la trasladaron a una subliminal estética religiosa en el campo santo del cementerio general. Es ese mismo sentimiento religioso que lleva al pueblo de Nobol en romerías hasta la cripta de Narcisa de Jesús y, con inmenso júbilo, a la adoración del cristo negro, señor de los milagros, en Daule.

En su largo camino, los ríos Daule y Babahoyo, alimentados por otras aguas, dan vida al caudaloso Guayas, río que para muchos es nuestro símbolo de la ecuatorianidad. Sin lugar a dudas, la contemplación de los más bellos escenarios están en la exuberancia de Cerro Blanco, una de las pocas reservas de caliza que existen en el mundo, hogar de cientos de aves. En este paraíso natural la vida es diversa y generosa.

En las faldas del Cerro Colorado, científicos, naturalistas y turistas, aprenderán del jardín botánico, donde la naturaleza despierta de su ensueño y airosa muestra multifacéticas formas de vida y color. A la distancia quedarán prendidos en su retina, los manglares de Churute, en la desembocadura del río Guayas. 50 000 hectáreas de esta reserva ecológica son el hogar de un sinnúmero de recursos marinos.

En el lago Chongón, vertiente de irrigación, se puede practicar pesca deportiva y disfrutar su entorno ecológico. Para los amantes del sol, la brisa, el mar y la arena fina, Guayas ofrece sus seductoras y cautivantes playas, como las de la península de Santa Elena. Guayas, espera por usted.

Esmeraldas

Esmeraldas, conocida como la joya verde del Pacífico, es el sitio ideal para quienes aman el sol, los pequeños pueblos detenidos en el tiempo y los ritmos afroamericanos.

Las esmeraldas encontradas en la colonia y el verdor exuberante de su naturaleza hicieron posible que se denomine a este pedazo de suelo ecuatoriano como Esmeraldas.

Con sus enormes arcos que parecen tener pies de barro, los manglares se mantienen firmes en las desembocaduras de extensos ríos. Éstos son el hábitat de pájaros y varios animales marinos. Al levantar su vista al cielo, se topará con los manglares de Majagual, uno de los más altos del mundo.

En la reserva ecológica Cotacachi Cayapas y el bosque húmedo de San Lorenzo, usted se reencontrará con la naturaleza en su máxima expresión y esplendor. Pues ésta es considerada por los científicos como un tesoro natural, con el más alto endemismo del mundo.

Desentrañe el pasado esmeraldeño y conozca una de las culturas más adelantadas del periodo precolombino. La Tolita, hábiles metalúrgicos con un escaso desarrollo militar y un complicado sistema religioso.

Y teniendo como escenario los lugares más pintorescos, usted puede disfrutar de la gastronomía, que caracteriza al pueblo esmeraldeño, así como gozar con el aroma que se escapa de las plantaciones de banano, café y cacao, característica producción agrícola de la región. A más de sabor y verde vegetación, Esmeraldas es fuente inagotable de espectaculares playas. Inicie su recorrido por Same, cuya exuberante belleza se prolonga por varios kilómetros. A más de eso, usted puede gozar con los encantos de la laguna Chanduy y ver la alegría volátil de pájaros. Para los amantes de la avifauna no hay lugar más ideal que el Yacaré, donde habitan pájaros patas azules y fragatas.

Con el nuevo amanecer, tan solo un bote será suficiente para atravesar esteros y manglares. Pero si de fiesta se trata, no hay quien gane a los marimberos, quienes en un largo éxodo salieron de África, siguieron el camino hasta llegar a la provincia verde de abundantes manglares, de límpidas aguas, de mar color esmeralda, y se enamoraron de ella. Aquí concluyó su viaje. Con ellos trajeron su historia, remembranzas, tradiciones, misticismos, pero sobre todo el tesoro más grande: su danza y su música.

Un escritor famoso al referirse a la marimba dice: "La marimba conversa con el bombo, replica el cununo, festeja el guasá". Los acrobáticos pies de los bailadores describen paisajes de historia. El sudor de los marimberos añeja las tradiciones. Los ritmos hablan desde la sangre ancestral, y el alegre ensueño arrullado nos hace soñar toda una leyenda de vida mágica, de un África que vive en la piel y en el ritmo de los tambores y del pambil. ¡Así que no lo olvide! La joya verde del Pacífico, el paraíso contagiante del mar, sol, la alegría, la historia, el trabajo artesanal y los ritmos afroamericanos son el escenario donde el principal protagonista es usted.

El Oro

Aquí iniciaremos nuestro recorrido. Ricos yacimientos auríferos hicieron que se la denomine como El Oro. Aquí lo mismo puede gozar de la calidez de las playas tropicales, de los bosques húmedos, del suelo serrano, como de la encantadora región insular. Su paladar saboreará y degustará lo mejor de la gastronomía orense y comprobará por qué los cebiches de Puerto Gelí, Puerto Bolívar y Puerto Gualtaco, son catalogados como los mejores del mundo. Y, a pocos kilómetros de Santa Rosa, usted se enternecerá con la somnolienta quietud de la laguna Tembladera.

A la distancia, los manglares dominan las costas y se convierten en el hábitat idóneo para la cría de conchas, camarones y varios recursos ictiológicos. Podrá admirar, además, como un raro espejismo, a los sacamanos, recolectando conchas frescas en Puerto Azul. Ésta, sin duda, es una magnífica oportunidad para aprender algo nuevo de la vida costeña.

Los cultivos florecen y el aire tiene olor a cacao, a café, pero, sobre todo, olor a banano dulce y fresco. Renglón básico de su producción que ha convertido al Ecuador en grande exportador del mejor banano del mundo y le ha valido el título a Machado como capital mundial del banano, concentrándose el comercio naviero en Puerto Bolívar.

Sentir el abrazo del verde exuberante o conversar con la inmensidad que se pierde en el infinito, ver la cascada inquieta, el río serpenteante que dibuja su camino y los paisajes deslizándose vívidos frente a sus ojos es una rica experiencia que la puede vivir en el bosque húmedo de Glaucay.

Tomando una lancha a motor, el canto del mar y el silbido del viento serán sus acompañantes hasta el archipiélago de Jambelí, donde la aventura ecológica de esteros, manglares, piqueros patas azules, fragatas, garzas, pelícanos, harán su deleite y en la isla del Amor, será parte del idilio alado de caravanas de pájaros. Todo aquí parece haber salido de un cuento de hadas.

Pías, la orquídea de los Andes, le hará parte de un estallido de colores multifacéticos traspasado a las flores, un rostro distinto de un mundo lejano, lo invita a viajar por el pasado de civilizaciones antiguas, de tesoros, miles de secretos. Quizás, piedras como las del museo mineralógico fueron las que regalaron los aborígenes en la coronación del inca Huayna Cápac; pues las entrañas de Zaruma y Portovelo son dueñas de tan preciado metal, donde el trabajador infatigable muestra su habilidad artesanal.

Más tímidamente, entre lujuriantes valles, aparece Zaruma. Su nombre viene del quechua: Zara, maíz y Uma, cabeza. Pueblo encantado que muestra airoso su rara belleza. Por sus empinadas calles trepan casas adosadas, una junto a la otra y la iglesia se yergue altiva desde 1912. Por su arquitectura única, hoy, Zaruma es un patrimonio nacional. Pero la belleza de El Oro no termina aún, pues enclavada en las faldas de la cordillera de los Andes y con clima benigno, promedio de 22 grados centígrados, se halla una zona geológica, paleontológica y cultural de incalculable importancia para el Ecuador. Dicen los entendidos que el mundo tiene tan solo tres bosques petrificados; Puyango es uno de estos mudos testigos milenarios, cuyo nacimiento se remonta 120 000 000 de años atrás.

Por sus paisajes de ensueño, el olor a tierra verde, aire puro, su historia, comprenderá por qué propios y extraños tienen una excusa para volver y disfrutar de El Oro.

SOLUCIONES

De viaje por Ecuador

LO MÁS CONOCIDO
A.

B.
CUENCA: Patrimonio Cultural de la Humanidad.
GALÁPAGOS: El único lugar en la mitad del mundo con pingüinos y focas.
GUAYAQUIL: La ciudad más grande del país.
QUITO: Capital de Ecuador.

PASATIEMPOS
A.

B.

HORIZONTALES	VERTICALES
2, 3, 4, 5, 1	1, 3, 4, 2

EN ECUADOR HAY DE TODO
A.
1. ciudades, 2. flora y fauna, 3. accidentes geográficos, 4. obras arquitectónicas

B.
No aparecen:
1. Azoques, Portoviejo, Guaranda
2. león, margarita
3. meseta, península
4. monasterio, convento

Regiones naturales

PREFERENCIAS
C.
Algunas sugerencias:

- Bañarse en un lago de Imbabura.
- Visitar el bosque petrificado de Puyango.
- Entrar en contacto con alguna tribu de la Amazonía.
- Hacer un crucero alrededor de las islas Galápagos.

ARTESANÍA ECUATORIANA
A. sombrero(s)

B. La Costa.

UN CONSEJO PARA UN AMIGO
A.
Sugerencia:
La Costa
- extensas playas
- grandes ciudades
- reservas ecológicas
- manglares
- bosque petrificado de Puyango
- Imbabura, la provincia de los lagos
Serranía
- población indígena
- variedad de climas
- grandes montañas nevadas
Amazonía
- temperatura media 30°
- flora y fauna muy interesantes
- comunidades aborígenes
Galápagos
- islas únicas en el mundo
- pingüinos y focas al sol
- roca pinacular
- cientos de aves, reptiles e insectos

B.
Sugerencia:
Querido Alejandro:
Me pides que te recomiende alguna zona de Ecuador y precisamente acabo de ver un reportaje estupendo sobre las regiones naturales de este país. Los Andes dividen Ecuador en tres partes: Costa, Serranía y Amazonía. Después está el archipiélago de la Galápagos, que es la cuarta región natural. Si tienes tiempo, yo que tú iría a las cuatro, porque todas son impresionantes. Si solo puedes visitar una o dos, entonces te recomiendo las montañas y la selva. Sé que te gustan los deportes de aventura y creo que en esas dos regiones encontrarás emociones fuertes.
¡Que lo pases muy bien!
Un abrazo,
Jon
PD: Mándame una postal.

Guayas

PARA TODOS LOS GUSTOS
A. B.
4. camarones, 1. banano, 2. café, 3. cacao
No aparecen: vino, jamón

DIME A DÓNDE VIAJAS Y TE DIRÉ QUIÉN ERES
A.
Rosa a una gran ciudad con restaurantes y
muchas tiendas.
Aurora a un lugar con bonitos paisajes.
Roberto a una ciudad con museos y monumentos.
Pablo a un lugar con muchas playas y buen
tiempo.

B.
Rosa iría a Guayaquil, porque es una gran ciudad y seguro que tiene muchas tiendas y bue-
nos restaurantes.
Aurora iría a Cerro Blanco, Cerro Colorado o a
los Manglares de Churute, porque son reservas naturales con bonitos paisajes.
Roberto iría a Guayaquil, porque es la ciudad
más grande de Ecuador y tiene muchos monumentos y museos.
Pablo iría a la península de Santa Elena, porque allí podría disfrutar de las mejores playas.

HACE MILES DE AÑOS...
B.
La cultura valdivia fue la primera en descubrir
la cerámica y en desarrollar la agricultura de
forma sedentaria.

Esmeraldas

LOS MARIMBEROS
A.
La marimba es un **instrumento**, como el bombo
y el cununo. Está hecho con palos de madera y
es parecido al xilófono. Estos instrumentos reciben el calificativo de macho o hembra según
los sonidos sean más graves o más agudos. La
marimba es también el nombre de un **baile**.
Los marimberos danzan en **parejas** al ritmo
que marca el bombero, el director de la banda,
que toca un bombo colgado en el techo.
Este baile procede de **África**. Llegó con los
esclavos que se utilizaban como mano de obra
en las plantaciones, un siglo después de la conquista de América. Los trajes de los marimberos
varían según la banda, pero todos tienen en
común los pantalones para los hombres y las faldas para las mujeres, combinado con blusas y
camisas. En la cabeza llevan **pañuelos**.

Los movimientos de esta danza son muy **sensuales**, por eso se dice que los chicos se hacen
hombres cuando dominan el arte de este baile.

PERIODISTAS
A.
Sugerencia:
Esmeraldas es una provincia de Ecuador que
está en la costa. Su nombre se debe principalmente a la cantidad de piedras preciosas (esmeraldas) que hay en este lugar. Aquí se pueden
realizar diversas actividades: desde tumbarse al
sol en sus excelentes playas, hasta visitar un
museo donde se pueden admirar los restos de
una importantísima cultura precolombina, La
Tolita. Además, el archipiélago de Yacaré es un
sitio ideal para observar aves. Pero quizás lo que
más sorprende al viajero es la marimba, danza
de ritmos africanos y movimientos sensuales,
que trajeron consigo los esclavos.

Escojo la foto 2 porque muestra la importancia
de la costa y de la producción pesquera en
Guayas.

El Oro

COSAS PARA VER EN EL ORO
A.
1-B, 2-D, 3-A, 4-E, 5-C

LOS MEJORES CEBICHES
A.
PRODUCTOS: cacao, café, banano, conchas,
camarones.
PLATO TÍPICO: cebiche.

C.
PAPA: patata
CHOCLO: mazorca de maíz
ZAPALLO: calabaza
CHANCHO: cerdo

LAS LENGUAS DE ECUADOR
B.
Zaruma significa cabeza de maíz y creo que
tiene este nombre porque la producción de
maíz y agrícola en general es muy importante.